Oursons abandonnés

Susan Hughes

Illustrations de Heather Graham
Texte français de Lucie Rochon-Landry

Catalogage avant publication de Bibliothèque et Archives Canada

Hughes, Susan, 1960-

[Cubs all alone. Français]

Oursons abandonnés / Susan Hughes ; illustrations de Heather Graham ;
texte français de Lucie Rochon-Landry.

(Animaux secours)

Traduction de: Cubs all alone.

Publ. à l'origine 2004.

ISBN 978-0-545-98534-5

I. Graham, Heather, 1959- II. Rochon-Landry, Lucie III. Titre.

IV. Collection : Hughes, Susan, 1960- . Animaux secours.

PS8565.U42C8214 2009 jC813'.54 C2009-901186-7

ISBN 10 0-545-98534-X

Édition publiée par les Éditions Scholastic, 604, rue King Ouest,
Toronto (Ontario) M5V 1E1 CANADA.

7 6 5 4 3 2 1 Imprimé au Canada 09 10 11 12 13 14

À une bonne amie de Georgia,
Erin Kainu

Merci à Sally Maughan, fondatrice du Idaho Black Bear Rehabilitation Center, pour sa grande compétence et ses observations judicieuses.

Table des matières

Chapitre un

J'ai besoin de votre aide!

– C'est presque l'été, hein, Casse-Noisettes? lance Maxine.

Tch-tch-tch-tch, répond l'écureuil roux, de son enclos. Maxine pouffe de rire. Casse-Noisettes a toujours l'air de mauvaise humeur, même par une belle journée ensoleillée comme aujourd'hui. Maxine vide l'eau qui reste dans le récipient de l'écureuil et le remplit d'eau fraîche.

– Ton ventre gris reprend sa couleur blanche et ton pelage roux redevient orangé.

Tch-tch-tch-tch, répète Casse-Noisettes, du creux de son arbre, en agitant la queue avec colère. L'écureuil roux est aveugle et vit en permanence au centre de réhabilitation. Son enclos et ceux des autres animaux sont répartis en demi-cercle autour de la clairière. Blanco, le renard roux à trois pattes, habite l'enclos voisin du sien. Dans un autre enclos vivent deux ratons laveurs, Fleur et Bandit. Bandit n'a qu'un œil, et les griffes des pattes de derrière de Fleur sont abîmées. Aucun de ces animaux ne pourrait survivre dans la nature, alors Animaux Secours est devenu leur refuge permanent.

– Au revoir, Casse-Noisettes! chantonne Maxine. À demain!

Maxine s'engage dans le sentier qui serpente entre les arbres et mène au bureau. On est vendredi après-midi. La jeune fille s'arrête devant la chambre d'isolement, à l'arrière du bureau. La porte est couverte de photos de Touffi, le lynx, et elle ne peut pas s'empêcher de les admirer. Elle repousse la frange de cheveux bruns qui tombe sur son visage et sourit à la première photo, sa préférée. On y voit Touffi quand elle n'était qu'un minuscule chaton. Sa fourrure brun orangé est parsemée de petites taches blanches et noires. Ses yeux ne sont pas encore ouverts. Ses oreilles sont collées sur sa tête, cachant ainsi les petites touffes de poils qui en ornent le bout.

Maxine soupire en se rappelant sa première rencontre avec Touffi. Le petit chaton miaulait de faim! Il était minuscule! Maxine avait tellement peur que le petit lynx orphelin ne survive pas, mais Touffi a un an maintenant.

Il y a déjà un an que Maxine et sa famille ont emménagé dans leur nouvelle maison, à Maple Hill. Peu après leur arrivée, Maxine, son petit frère et leur grand-mère ont trouvé le petit lynx dans les bois et l'ont amené au centre de réhabilitation Animaux Secours.

Puis Maxine a commencé à fréquenter sa nouvelle école et y a rencontré Sarah, qui est devenue sa meilleure amie. Et depuis ce temps, les deux jeunes filles sont bénévoles au centre.

Touffi est toujours ici, dans la chambre d'isolement. Elle a aussi un enclos extérieur, strictement interdit aux visiteurs. Le lynx doit être tenu à l'écart des humains pour ne pas s'habituer à eux. Si Touffi demeure sauvage, elle pourra peut-être un jour retourner dans la forêt. Abbie, la propriétaire d'Animaux Secours, prend une photo de Touffi tous les mois. De cette façon, les visiteurs peuvent voir à quoi elle ressemble et avec quelle rapidité elle grandit.

– Tu rêves?

Maxine se retourne en entendant la voix de son amie. Sarah, vêtue, comme toujours, d'un jean et d'un t-shirt, porte un seau vide et un autre à moitié rempli de graines pour les oiseaux. Elle

s'approche, et Maxine lui montre les photos du doigt.

– Tu penses encore à Touffi, dit Sarah. Abbie allait nous en parler, justement. Elle veut la relâcher.

– Je sais, répond Maxine avec un faible sourire. Touffi sait très bien prendre soin d'elle-même maintenant. Je suis sûre qu'elle peut survivre toute seule dans la nature. Je suis contente qu'elle retrouve sa liberté, continue la jeune fille, mais je suis triste à l'idée que je ne la reverrai peut-être plus jamais.

– C'est pareil pour moi, admet Sarah. Ça va être très difficile de lui dire au revoir, ajoute-t-elle en se mordant les lèvres et en tortillant le bout de sa tresse rousse.

Les deux filles aiment beaucoup Touffi. En fait, elles aiment tous les animaux sauvages et passent beaucoup de temps à Animaux Secours. Elles servent de guides aux visiteurs toutes les fins de semaine et aident à soigner les animaux qui vivent au centre.

Il y a un an, le centre a bien failli fermer parce qu'il n'y avait pas assez d'argent pour le faire fonctionner. Les filles ont alors eu une idée géniale. Elles ont organisé une journée portes ouvertes. Les gens sont venus de partout, et ça leur a permis d'amasser beaucoup d'argent. Elles ont aussi organisé une soirée d'Halloween, avec des concours et des friandises. Et à Pâques, elles ont décoré le centre avec des affiches et des guirlandes.

– Quand Abbie pense-t-elle pouvoir relâcher Touffi? demande Sarah.

– Touffi peut chasser par elle-même, répond Maxine. Elle a un an. Elle a peur des humains. Et le beau temps va l'aider à s'habituer à son nouvel environnement. Abbie dit qu'il ne manque qu'une chose à Touffi : un vétérinaire qui pourrait l'examiner. Si elle est en bonne santé… ajoute Maxine, la gorge serrée, elle pourrait retourner dans les bois d'ici quelques jours.

– Un vétérinaire, fait Sarah en fronçant les sourcils. Hum…

Maxine hoche la tête. Elle est inquiète. Le centre comptait auparavant sur un vétérinaire bénévole, le Dr Jacobs. Mais celui-ci a pris sa retraite l'année dernière. Récemment, Randall, un étudiant en médecine vétérinaire, a pu les aider à soigner un lièvre d'Amérique blessé. Mais il est retourné à l'université. Qui pourrait examiner Touffi? Il serait injuste de la garder en captivité parce que le centre ne trouve pas de vétérinaire pour animaux sauvages!

Juste à ce moment-là, quelqu'un les appelle de devant le bureau. On dirait la voix d'Abbie.

– Les filles! Venez ici, s'il vous plaît. J'ai besoin de votre aide! Vite!

Maxine et Sarah se regardent. Maxine sait que la même pensée traverse leur esprit. Est-ce qu'un nouvel animal blessé arrive chez Animaux Secours?

Chapitre deux

La loi le permet

Les filles tournent le coin du bâtiment à toute vitesse et se heurtent presque à Abbie.

– Oh! s'exclame la grande femme en allongeant le bras pour garder l'équilibre et en retenant ses lunettes rondes de hibou pour les empêcher de tomber.

– Qu'est-ce qu'il y a, Abbie? demande Maxine en reprenant son souffle. Qu'est-ce qui ne va pas?

– Ça risque d'être un peu long, répond Abbie. Allons nous asseoir sur les marches.

Maxine et Sarah sont contentes de laisser reposer leurs jambes. Le soleil brille, mais pas trop fort. Maxine le trouve agréable sur son visage.

– Vous connaissez probablement certaines choses au sujet des ours noirs, commence Abbie. On en trouve dans bien des régions de l'Amérique du Nord, y compris dans cette région du Canada.

Des ours noirs? Maxine, tout excitée, jette un regard à Sarah. Elle n'a jamais vu d'ours noir. Est-ce qu'un ours noir blessé doit venir séjourner au centre Animaux Secours? Est-il gros? Où vont-elles le loger?

– La plupart des ours noirs hibernent pendant de longues périodes en hiver, poursuit Abbie. Leur température corporelle baisse un peu et leur rythme cardiaque ralentit beaucoup. Ils dorment pendant la majeure partie de l'hiver, sans rien manger ni boire. C'est leur façon de survivre quand il n'y a pas beaucoup de nourriture.

– Ils dorment dans des tanières, non? demande Sarah.

– Oui, d'habitude, répond Abbie. Et c'est en hiver que les ourses mettent leurs petits au monde, habituellement en janvier. Elles les allaitent et les gardent au chaud pendant tout l'hiver, tout en dormant. Quand le temps se réchauffe, les ours sortent pour trouver de la nourriture. Les mamans allaitent leurs petits pendant environ six mois. Pendant ce temps, elles leur montrent ce qui est bon à manger. Elles leur apprennent à être des ours et à survivre dans la nature.

Maxine est intéressée par tout ce que lui explique Abbie sur les ours noirs, mais elle a de la difficulté à se concentrer. Est-ce qu'Animaux Secours va recevoir un ours noir blessé? Sinon, pourquoi Abbie leur raconte-t-elle tout ça?

Abbie serre les lèvres, l'air sombre.

– Les ours sortent de l'hibernation au printemps. Il n'y a pas beaucoup de nourriture avant le milieu de juillet, quand les baies commencent à mûrir. Ce qui veut dire que, pendant plusieurs mois, les ours ont faim et cherchent à manger. Les ours noirs sont très timides et se tiennent habituellement loin des humains, sauf quand ils ont faim. Les ours ont un excellent odorat et peuvent sentir la graisse sur un barbecue ou les déchets dans une poubelle. S'ils sont vraiment affamés, ils s'aventurent même sur les propriétés privées, en quête de nourriture.

Abbie s'interrompt encore une fois. Elle enlève ses lunettes, les essuie et les remet.

– Ça dérange les gens, reprend-elle. Ils craignent que les ours soient dangereux ou ils n'aiment tout simplement pas qu'ils viennent fouiller dans leurs déchets toutes les nuits. Ils les considèrent comme un fléau. Si un ours revient plusieurs fois et que les gens croient qu'il est dangereux, ils peuvent essayer de l'attraper au piège, pour qu'on les en débarrasse. Il arrive aussi qu'ils tuent l'ours. La loi le permet.

Maxine sent son estomac se nouer. Elle commence à comprendre où Abbie veut en venir. Et elle n'aime pas ça. Non, pas du tout.

Abbie s'éclaircit la voix.

– J'ai reçu un appel d'un certain Barton Crew. Il dit qu'il y a quelques jours, un de ses voisins a tué un ours noir qui rôdait autour de son tas de compost.

Maxine retient son souffle. Elle sent la main de Sarah qui serre la sienne.

– M. Crew est inquiet. Il pense que c'était une mère ourse. Il y avait aussi deux oursons, mais il ne sait pas ce qui leur est arrivé. Il dit que quelqu'un est allé enlever le corps de la mère, mais il n'a vu aucune trace des oursons. Il aimerait qu'on aille jeter un coup d'œil.

– Oh, les pauvres petits, fait Maxine d'une voix douce. Alors, on va partir à leur recherche?

– Bien sûr, répond Abbie en souriant. C'était pour ça que je vous cherchais. Ces oursons ont besoin de notre aide. Leur mère leur a sûrement appris à manger des choses, comme des racines et des fourmis. Mais ils ne peuvent pas survivre seulement avec ça. Ils sont habituellement allaités jusque vers la fin de juillet. Ils doivent être affamés après quelques jours sans leur maman. Alors, en route! Allez chercher le matériel habituel, mais apportez deux grandes cages au lieu d'une. Et n'oubliez pas la perche et les filets. Je vous rejoins bientôt.

Maxine et Sarah se lèvent aussitôt et se hâtent vers la remise. Elles prennent une longue perche munie d'une corde en boucle, deux filets, trois paires de gants épais, deux couvertures, les cages, trois sifflets et une trousse de premiers soins, puis elles placent le tout dans la fourgonnette d'Abbie.

– J'ai les indications, dit celle-ci en refermant la porte du bureau derrière elle. Ce n'est qu'à quelques minutes d'ici.

L'équipe s'entasse dans la voiture, qui s'engage bientôt dans l'allée caillouteuse et passe devant le panneau à l'entrée, sur lequel est écrit *Clinique médicale et centre de réhabilitation Animaux Secours.*

Maxine ne dit rien. Elle essaie d'imaginer où les deux oursons orphelins pourraient avoir trouvé refuge. Est-ce qu'ils errent dans les bois, tristes et affamés? Est-ce qu'ils sont blessés? Qu'est-ce qui va leur arriver si Maxine, Sarah et Abbie ne les trouvent pas?

Chapitre trois

Les Perch

– Voilà, je pense qu'on y est, dit Abbie en pointant du menton une maison de bois blanche.

C'est la dernière de la rue. La forêt commence de l'autre côté. Un petit écriteau devant la maison indique *Les Perch*.

– Matthew Perch va à notre école, chuchote Sarah à Maxine. Ça doit être son père qui a tué l'ourse.

Maxine écarquille les yeux. Elle sait qui est Matthew Perch. Il est en sixième année et tout le monde à l'école a un peu peur de lui. Il est toujours seul et se promène les mains dans les poches, l'air renfrogné.

– J'espère qu'il n'est pas là, ajoute Sarah au moment où Abbie arrête la voiture.

Un homme est debout à l'arrière de la maison, une bêche à la main. Il porte une salopette bleue et une casquette de baseball qu'il a mise à l'envers. Il regarde Abbie, Maxine et Sarah descendre de l'auto, mais il ne bronche pas.

Abbie hisse son sac à dos sur son épaule et s'avance vers lui. Les filles la suivent lentement.

– Bonjour, lance Abbie d'une voix amicale. Monsieur Perch?

L'homme ne bouge toujours pas. Abbie s'avance un peu plus.

– Êtes-vous Monsieur Perch?

L'homme la fixe. Abbie continue à avancer jusqu'à ce qu'elle soit juste devant lui.

– Je suis Abigail Abernathy, dit-elle en lui tendant la main. Je suis la propriétaire d'Animaux Secours.

L'homme tend la main et serre brièvement celle d'Abbie.

– Oui, c'est bien moi, grommelle-t-il.

– On nous a indiqué qu'il pourrait y avoir deux jeunes ours noirs sur votre propriété ou tout près. Nous donnez-vous la permission de les chercher? demande Abbie d'un ton jovial.

M. Perch ne répond pas. La question reste en suspens, et Maxine commence à avoir des papillons dans l'estomac. Peut-être qu'il va refuser. Qu'est-ce qu'elles vont faire alors? Est-ce qu'elles vont devoir repartir sans avoir pu chercher les oursons?

M. Perch incline la tête.

– Ouais, marmonne-t-il finalement, en réponse à la question d'Abbie.

Puis il se retourne, dépose la bêche près de la porte et disparaît à l'intérieur de la maison.

Maxine pousse un soupir de soulagement.

– Ouf! s'exclame Sarah.

– Au travail, dit tout de suite Abbie. On va d'abord fouiller le terrain des Perch. Je ne pense pas qu'on va les trouver ici, mais on fait mieux de vérifier. On va faire le tour de la maison et regarder sous la remise, sous le porche, dans ces buissons épais là-bas et dans la haie ici.

Elles cherchent partout rapidement, mais reviennent bredouilles.

– On va se séparer et s'enfoncer lentement dans la forêt, dit Abbie en tirant trois pelotes de ficelles de son sac. Avec un peu de chance, on devrait entendre les oursons avant d'être trop près d'eux. Ce sont des bébés, mais n'oubliez pas qu'ils ont des griffes acérées et qu'ils seront sans doute effrayés. Si vous les apercevez, arrêtez-vous et appelez-moi, ajoute-t-elle d'un ton ferme.

Elles sont sur le point de pénétrer dans la forêt lorsque Maxine aperçoit un garçon qui en sort rapidement, à l'endroit où la forêt rejoint la route. Maxine reconnaît Matthew Perch. Ses cheveux noirs se dressent en pointes sur sa tête. Il a les mains enfoncées dans les poches, comme d'habitude. Mais il a la tête haute et… est-ce possible? On dirait qu'il sourit.

Sarah l'a aperçu, elle aussi.

– C'est Matthew Perch, dit-elle à Abbie.

Cette dernière interpelle aussitôt le jeune garçon, avant que Maxine puisse l'en empêcher.

– Dis donc, tu dois bien connaître le bois, lui dit-elle. Tu pourrais nous aider. On cherche deux oursons abandonnés.

Matthew se tourne vers elle et reprend son air renfrogné.

– Non, répond-il brusquement, avant de disparaître.

Chapitre quatre

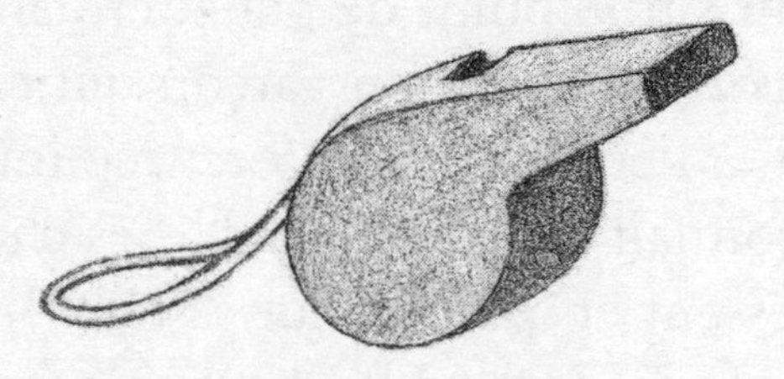

Arrête ça!

– Tu perds ton temps avec Matthew Perch, dit Sarah à Abbie, en secouant la tête. Il ne doit pas se préoccuper beaucoup des animaux, et surtout pas de leurs petits.

– Ah non? demande Abbie. Eh bien, on n'a pas le temps de le convaincre. Il va falloir qu'on se débrouille toutes seules.

Abbie leur tend à chacune une paire de gants épais, un sifflet et une pelote de ficelle.

– Nouez une extrémité de la ficelle à un arbre, leur indique-t-elle, et déroulez-la tout en marchant; comme ça, vous pourrez retrouver votre chemin. Cherchez dans tous les coins. Les oursons pourraient être difficiles à repérer. Et ne fouillez pas avec vos mains, même si vous portez des gants. Utilisez plutôt un bâton, délicatement, si vous en avez besoin.

Maxine se fraie lentement un chemin dans la forêt, vers l'endroit d'où est sorti Matthew. Elle s'y enfonce peu à peu, et perd Abbie et Sarah de vue.

Maxine avance lentement, car elle ne veut pas manquer les oursons. Elle cherche minutieusement ici et là. Rien. Elle s'arrête et écoute. Rien. Elle fouille délicatement sous les buissons et dans les broussailles avec son bâton. Toujours rien.

Comment deux oursons peuvent-ils faire si peu de bruit? Comment peuvent-ils être si bien cachés? Ont-ils déjà disparu au cœur de la forêt?

Maxine commence à paniquer. Sa pelote de ficelle est presque toute déroulée. Lorsqu'elle n'en aura plus, il va falloir qu'elle rebrousse chemin.

Soudain, son regard est attiré par quelque chose qui bouge tout en haut d'un arbre.

Maxine s'approche du pied de l'arbre sur la pointe des pieds et regarde à travers le feuillage. Elle se met à rire.

Deux boules de poils noirs sont accrochées à

une des hautes branches. Deux faces noires, au museau brun et au nez noir, en émergent. Quatre petits yeux curieux la regardent. Maxine a trouvé les oursons!

Elle donne un premier coup de sifflet pour appeler Abbie et Sarah, puis un deuxième quelques minutes plus tard.

– Les as-tu trouvés? Les as-tu trouvés? murmure Sarah, un peu trop fort, en se frayant un chemin à travers les arbres pour rejoindre Maxine.

Abbie la suit de près.

– Regardez là-haut, répond Maxine en pointant le doigt vers la branche, un sourire aux lèvres.

– Oh, deux petits oursons! Ils sont tellement mignons, soupire Sarah en joignant les mains de plaisir. Regarde leurs yeux brillants et leurs petites oreilles rondes!

– C'est vrai qu'ils sont mignons, reconnaît Abbie. Beau travail, Max. Ces oursons sont effrayés parce qu'ils sont seuls, continue-t-elle d'un ton grave. C'est pourquoi ils ont grimpé à un arbre. On doit les convaincre de descendre; ce ne sera peut-être pas facile. Sarah, viens avec moi, on va aller chercher les cages, la perche et

les filets. Ensuite, on verra ce qu'on peut faire.

Abbie et Sarah retournent chez les Perch, en suivant la ficelle de Maxine. Cette dernière est heureuse de s'asseoir par terre et de s'appuyer contre un tronc d'arbre pour surveiller les oursons. Elle ne peut pas détourner son regard. Et eux ne la quittent pas des yeux, non plus. Ils s'agrippent à la branche avec leurs griffes acérées et se tiennent parfaitement immobiles. De temps à autre, ils laissent échapper un petit gémissement plaintif qui serre le cœur de Maxine. *Baa-oua! Baa-oua!* font-ils.

– Ne vous en faites pas, leur murmure Maxine d'une voix rassurante. Je sais que vous avez peur sans votre maman. Mais tout va s'arranger. On va vous descendre de là et vous donner quelque chose pour remplir vos petits ventres.

Et qu'est-ce qu'on va faire après? se demande Maxine. Les oursons n'ont pas l'air d'être blessés. Mais ils sont trop jeunes pour être relâchés dans la nature sans leur mère. Qu'est-ce qui va leur arriver? Est-ce qu'Animaux Secours peut les accueillir? Abbie a réussi à soigner un jeune lynx pendant un an. Est-ce qu'elle possède les connaissances nécessaires et l'espace qu'il faut pour prendre soin de deux oursons?

La gorge de Maxine se serre. Mais elle se dit aussitôt qu'il faut faire les choses une à la fois. Les oursons sont perchés dans un arbre, et il faut d'abord les en faire descendre!

Abbie, qui revient avec Sarah, se fait rassurante.

– Cet arbre n'est pas très haut, dit-elle. Je vais y grimper jusqu'à ce que j'atteigne les oursons. Je vais essayer de passer la boucle de la perche autour de chacun d'eux et de les faire descendre jusqu'au sol, un après l'autre. Pendant ce temps, j'aimerais que vous tendiez le filet sous la branche. Si l'un d'eux lâche prise avant que je puisse passer la boucle autour de lui, vous l'attraperez avec le filet! Tenez bien le filet surtout. Nos petits amis ont l'air de peser six ou sept kilos chacun.

Maxine et Sarah prennent position. Elles tiennent le filet à hauteur de leur taille. Maxine l'enroule autour de ses mains pour le tenir plus fermement.

Les oursons peuvent voir et entendre Abbie qui s'approche. Ils reculent nerveusement jusqu'au bout de la branche. Celle-ci plie sous leur poids. L'ourson le plus près du bout s'arrête et s'agrippe pour ne pas tomber. Mais l'autre, cherchant à s'éloigner d'Abbie, continue à reculer.

– Oh-oh, tiens bien le filet, Sarah, avertit Maxine.

La branche plie, et soudain, *crac!* le bout casse et tombe, entraînant l'ourson avec lui.

– Le voilà, chantonne Maxine.

Les filles lèvent le filet un peu plus haut et le tiennent solidement, et soudain, *woumf!* Un petit ourson effarouché se retrouve au beau milieu, ses yeux bleus écarquillés de surprise. Pendant un moment, les filles ne bougent pas. Tout s'est passé si rapidement.

Abbie redescend de l'arbre aussi vite qu'elle y est montée. Elle tend ses longs bras et ramasse l'ourson encore abasourdi. D'un geste rapide, elle le dépose dans une des cages, qu'elle referme aussitôt.

– Et de un! lance-t-elle fièrement. Beau travail, les filles!

Ces dernières n'ont même pas le temps de répondre qu'Abbie est déjà remontée dans l'arbre. Maxine et Sarah se placent vite sous l'autre ourson. L'animal a l'air encore plus apeuré, maintenant qu'il est tout seul. Il reste figé au bout de la branche.

Un bras solidement enroulé autour du tronc

de l'arbre, Abbie tend la perche vers lui.

C'est ça, Abbie, pense Maxine. Elle retient son souffle pendant qu'Abbie tente de passer la boucle autour de l'ourson effrayé. La forêt est si calme que Maxine peut entendre les petits cris de l'ourson qui s'est remis à gémir. Soudain, elle a l'impression étrange que quelqu'un les épie!

Elle se retourne et scrute les arbres. Tout à coup, elle sursaute. Quelqu'un est caché derrière un arbre. Mais qui est-ce?

Chapitre cinq

Il faut faire vite

Maxine reconnaît maintenant les pointes de cheveux noirs. C'est Matthew Perch.

– Sarah, regarde qui nous observe, murmure-t-elle en indiquant le jeune garçon de la tête.

– Qu'est-ce qu'il fait là? demande Sarah d'une voix étouffée, en écarquillant ses yeux bleus.

Maxine hausse les épaules. Elle regarde nerveusement Matthew et remarque qu'il se tient tout près de la première cage.

– Penses-tu qu'il pourrait faire du mal à l'ourson?

– Je ne sais pas, répond Sarah en fronçant les sourcils. Mais je ne lui fais pas confiance.

– Concentrez-vous, les filles, les réprimande doucement Abbie.

Maxine surveille Abbie qui approche la boucle du jeune animal. L'ourson effrayé relâche sa prise. Il lève une patte et donne des coups vers la corde. C'est ce qu'Abbie attendait. Elle fait rapidement glisser la boucle par-dessus la tête et le corps de l'ourson, et la resserre en tirant doucement.

Abbie doit utiliser toutes ses forces pour redescendre à mi-hauteur de l'arbre, la perche dans une main. L'ourson se balance à l'autre extrémité, impuissant, en essayant d'agripper le tronc avec ses griffes. Mais Abbie réussit à l'empêcher de s'accrocher.

– Le voilà, les filles, leur lance Abbie, dès qu'elle est assez près.

Avec beaucoup de précautions, elle laisse choir l'ourson, qui n'est plus très haut maintenant et atterrit directement dans le filet.

Woumf!

Maxine ne peut pas s'empêcher de sourire. Cet ourson est plus petit que le premier, mais tout aussi ahuri!

En un instant, Abbie est descendue de l'arbre et dépose l'ourson dans la deuxième cage.

– Le deuxième ourson est une femelle! dit-elle.

– Ah oui? fait distraitement Maxine, qui scrute maintenant l'endroit où se cachait Matthew plus tôt. Mais il est reparti, aussi silencieusement qu'il était venu.

Abbie respire bruyamment. Elle a travaillé fort pour secourir les oursons.

– Vous avez été fantastiques avec le filet, les filles. Mais on n'a pas fini. On doit ramener notre équipement et ces oursons à la voiture, et retourner à Animaux Secours. Je crois qu'ils n'ont rien mangé depuis que leur mère est morte, il y a plusieurs jours. On doit les nourrir au plus vite.

Maxine et Sarah savent qu'Abbie a raison. Elles remettent rapidement le matériel dans le sac à dos d'Abbie. Maxine et Sarah saisissent chacune une extrémité d'une des cages, qui est maintenant beaucoup plus lourde, avec l'ourson à l'intérieur. De l'autre main, Maxine porte la perche, et Sarah, le sac à dos. Abbie soulève l'autre cage.

Maxine jette un dernier regard tout autour. Où est passé Matthew? Pourquoi est-il revenu les espionner dans le bois? C'est son père qui a tué l'ourse. Est-ce que Matthew voulait faire mal aux oursons? Maxine n'en est pas certaine. Le garçon a l'air méchant, mais il n'a encore rien fait de mal. Elle ne sait pas quoi penser.

Elle le chasse de son esprit et s'empresse de reporter son attention sur les deux oursons qui ont besoin d'elle.

Chapitre six

Un ami

Le retour à Animaux Secours se fait rapidement. Mais Maxine et Sarah ont quand même le temps d'examiner les oursons et de poser plein de questions à Abbie.

Le menton appuyé sur le dossier de son siège, Maxine observe les oursons, un à un. Abbie a placé les cages l'une à côté de l'autre pour que les animaux ne se sentent pas trop seuls.

– Ils sont presque pareils, dit Maxine à Sarah, mais pas tout à fait. Ils ont tous les deux de belles oreilles rondes, des petites queues et des yeux bleus. Mais le mâle est plus gros, ajoute-elle en indiquant l'ourson de gauche.

Celui-ci, l'air nerveux, est assis sur ses pattes de derrière, comme un chien. Il presse son nez contre la cage et touche la fourrure de sa sœur, comme pour s'assurer qu'elle est toujours là.

– Il a aussi une petite tache de fourrure blanche sur la poitrine, remarque Maxine.

Soudain, elle a une idée.

– J'ai trouvé un nom pour lui, s'exclame-t-elle. On va l'appeler Tacheté!

– J'aime ça, dit Sarah en hochant la tête. Ils sont si petits, ajoute-t-elle pensivement. C'est difficile d'imaginer qu'un jour ils seront énormes.

– Oui, ils vont sans doute peser dix, vingt ou même trente fois plus que maintenant, dit Abbie, qui conduit très lentement.

Elle conduit toujours prudemment, mais Maxine a remarqué qu'elle prend encore plus de précautions quand il y a des animaux dans la voiture.

– Qu'est-ce qu'ils mangent, les ours noirs? demande Maxine. Ils doivent avoir besoin de beaucoup de nourriture!

– En effet, répond Abbie. Les ours noirs sont omnivores, c'est-à-dire qu'ils mangent toutes sortes d'aliments. Ils se nourrissent d'insectes, de petits mammifères et de poissons, mais surtout de plantes et de fruits. Ils aiment beaucoup les minuscules baies! Il en faut beaucoup pour satisfaire leur appétit. Ils les cueillent dans les buissons avec leurs lèvres et leur longue langue. Parfois, un ours trouve une grande parcelle de terrain couverte d'une sorte de baie, et il en mange et en mange pendant des jours et même des semaines, jusqu'à ce qu'il n'en reste plus! C'est seulement à ce moment-là qu'il se déplace pour trouver d'autre nourriture.

Abbie s'engage sur la route de la Campanule. Le centre n'est plus très loin maintenant.

– Est-ce que les ours mangent n'importe quelle sorte de baies? demande Maxine.

– Des framboises, des mûres, des groseilles, des fraises… toutes les sortes de baies qui poussent là où ils vivent, répond Abbie.

Maxine regarde le plus petit ourson et sourit.

– Je sais comment on peut appeler la femelle, dit-elle en donnant un petit coup de coude à Sarah. Elle va devenir grosse et manger des groseilles? Alors pourquoi on ne l'appellerait pas…

– Groseille! claironne Sarah. Et elle est toute ronde comme une petite baie!

Abbie descend l'allée caillouteuse qui mène au centre de réhabilitation. C'est presque l'heure du souper. L'estomac de Maxine gargouille. Les oursons doivent avoir très faim, eux aussi.

– Abbie, qu'est-ce qu'on va leur donner à manger? demande-t-elle d'une voix tendue. Ils doivent être affamés!

Abbie garde le silence quelques instants. Elle stationne la voiture, puis se tourne vers Maxine.

– On va faire de notre mieux pour trouver quelque chose. On ne savait pas quoi donner à Touffi au début, mais tout s'est arrangé pour elle.

– D'accord, répond Maxine, rassurée.

Elles descendent de la voiture, et Abbie ouvre la porte arrière.

– Je pense qu'on devrait transporter les oursons dans une des salles d'examen, dit-elle pensivement. C'est sans doute le meilleur endroit pour eux, jusqu'à ce qu'on puisse...

Une voix l'interrompt.

– Alors, on ne dit pas bonjour à un vieil ami?

Maxine, Sarah et Abbie se retournent.

– Randall! lancent-elles en voyant le jeune homme qui s'avance vers elles.

Les filles se précipitent vers lui.

– Qu'est-ce que tu fais ici? s'écrie Maxine. Comment savais-tu qu'on avait besoin d'un vétérinaire?

– As-tu fini ton année à l'université? Es-tu en visite chez ta tante, Mme Peach? demande Sarah.

– Holà! Ça fait beaucoup de questions, répond Randall en secouant la tête.

Il porte un pantalon kaki, et une chemise

rouge qui en sort à moitié. Il se gratte l'oreille nerveusement.

– Oui, je suis en visite chez ma tante. Oui, les cours sont terminés pour cette année. Et non, je ne savais pas que vous aviez besoin d'un vétérinaire. Je venais simplement prendre de vos nouvelles, ajoute-t-il en repoussant de ses yeux ses cheveux en bataille.

– On peut dire que tu arrives toujours quand il se passe des choses passionnantes à Animaux Secours, dit Abbie en s'avançant à grands pas. Mais on est contentes de te voir. Et Maxine a raison : on a besoin d'un vétérinaire en ce moment.

– Je suis content de te voir aussi, Abbie, dit Randall en se grattant l'oreille de nouveau, l'air incertain. Mais n'oublie pas que je viens à peine de terminer ma deuxième année à l'école vétérinaire. Je n'ai pas souvent eu l'occasion de m'occuper d'animaux sauvages. Je ne sais pas si...

– Voyons, Randall, on a besoin de ton aide, dit Maxine en le tirant par le bras.

– S'il te plaît? supplie Sarah.

– On vient de secourir deux oursons orphelins qui s'étaient réfugiés dans un arbre, explique

Maxine. Viens voir, dit-elle en le conduisant vers l'arrière de la fourgonnette. Je te présente Tacheté et Groseille.

L'une des deux boules de fourrure bouge. Tacheté se gratte l'oreille avec sa grosse patte et bâille. Sa langue et l'intérieur de sa bouche sont d'un rose pâle. Groseille demeure immobile. Ses petits yeux surveillent Maxine.

– Leur mère a été tuée il y a quelques jours. Ils n'ont rien mangé depuis, dit Abbie à Randall. Ils ont l'air en bonne santé, mais on aimerait que tu les examines, pour nous rassurer.

Maxine est toujours accrochée au bras de Randall. C'est lui qui les a aidées à soigner une maman lièvre blessée, au printemps. Il ne savait pas trop ce qu'il pouvait faire à ce moment-là, non plus. Il leur avait raconté qu'il avait commis une erreur un jour en soignant un écureuil blessé et qu'il avait perdu confiance en ses talents de vétérinaire. Mais, avec la maman lièvre, il avait fait de son mieux et avait réussi à la sauver.

– Randall, regarde Tacheté, dit Maxine. Vois-tu pourquoi on l'a appelé comme ça? Regarde la belle tache blanche sur son ventre.

Randall regarde de plus près l'ourson à moitié endormi.

– Oui, je vois, dit-il en souriant.

Tacheté soulève son autre patte et se frotte les yeux.

– Il a l'air d'un bébé fatigué, dit Sarah en pouffant de rire.

Tacheté bâille encore une fois, puis se roule de nouveau en boule. Il se colle autant qu'il le peut sur Groseille, qui se déplace un peu et le pousse du museau à travers le grillage.

– Regarde Groseille, dit Maxine. Elle aime se coller à son frère. Mais Tacheté n'a pas dû aimer ça quand ils étaient dans l'arbre. Groseille n'arrêtait pas de se rapprocher de lui sur la branche. Le bout a fini par casser et Tacheté est tombé.

– Je vois ça d'ici! dit Randall en souriant. D'accord, je vais les examiner. Je pense que j'en sais assez pour faire un bon examen.

Sarah lève les pouces en regardant Maxine, qui soupire de soulagement.

– Pendant que je fais ça, vous devriez leur préparer quelque chose à manger. Tu n'as probablement pas de lait d'ourse sous la main? ajoute-t-il en se tournant vers Abbie, les yeux malicieux.

Abbie penche la tête de côté et lui sourit.

– Non, il n'y en a plus une goutte! Qu'est-ce qui serait le mieux pour eux? ajoute-t-elle d'un air plus sérieux. Ils doivent avoir extrêmement faim.

Randall réfléchit. Soudain, Maxine a une idée.

– Qu'est-ce que tu as donné à Touffi quand je te l'ai amenée? demande-t-elle à Abbie.

– Je lui ai donné du lait de chèvre dans un biberon. C'était tout ce que j'avais. Puis tu as trouvé cette spécialiste des lynx, et elle nous a aidé à concocter une préparation lactée spéciale, semblable au lait d'une maman lynx.

– Du lait de chèvre, répète Randall. Je pense que ça va aller pour le moment. Ils auront au moins pris quelque chose.

– Ensuite, on pourra trouver comment on doit les nourrir, intervient Maxine.

– Ce serait merveilleux si Sarah et toi faisiez un peu de recherche, dit Abbie en posant la main sur l'épaule de Maxine. Mais il y a une chose que vous devez savoir, ajoute-t-elle d'un air soucieux. Les oursons ne peuvent pas rester ici en permanence. On a pu s'occuper de Touffi parce qu'elle n'était pas très grosse. On avait l'espace nécessaire. Et avec toutes vos campagnes de financement, on a pu se procurer la nourriture dont elle avait besoin, même maintenant qu'elle est presque adulte et mange beaucoup plus. Mais Animaux Secours n'a pas les moyens de subvenir aux besoins de deux oursons en pleine croissance. Pas à long terme, en tout cas. Je sais qu'on ne peut pas remettre Tacheté et Groseille en liberté, pas sans leur mère. On doit leur trouver un autre refuge. Et vite.

Chapitre sept

Deux oursons affamés

– Pouvez-vous m'aider, les filles? demande Randall.

Maxine essaie de chasser l'inquiétude que les paroles d'Abbie ont fait naître en elle. Elle sait qu'il vaut mieux s'occuper d'un animal que de se faire du souci pour lui. Elle se sent toujours mieux quand elle peut aider.

Elle saisit avec entrain une des extrémités de la cage de Tacheté et la sort de la fourgonnette, avec l'aide de Sarah. Randall s'empare de la cage de Groseille.

– Ne t'en fais pas, Tacheté, dit Maxine gentiment. Tu as peut-être l'impression de te balancer au bout d'une branche, mais nous, on ne te laissera pas tomber!

Les filles déposent la cage, aussi doucement que possible, sur le plancher d'une des salles d'examen. Randall dépose l'autre cage juste à côté, pour ne pas séparer les oursons.

– Pendant que tu les examines, on va aller voir si Abbie a besoin d'aide, dit Maxine à Randall.

Abbie est en train de vérifier les contenants à l'intérieur du petit réfrigérateur.

– On ne semble pas avoir de lait de chèvre. Je sais! fait-elle soudain en claquant les doigts.

Elle se met à fouiller dans les armoires.

– Aidez-moi, les filles, s'il vous plaît. Je cherche une boîte avec un chien dessus. Vous savez qu'on nourrit parfois certains bébés humains avec une préparation lactée? On l'obtient en mélangeant de la poudre à de l'eau bouillie. Les animaux ne peuvent pas boire une préparation faite pour les humains parce que ça leur donne mal au ventre. Mais il existe une préparation spéciale pour les chiots. C'est un substitut artificiel, semblable au lait de la mère. Je pense que j'en ai, et ça pourrait très bien convenir à nos oursons affamés.

Les filles se mettent à chercher, elles aussi.

– Est-ce que c'est ça? demande Maxine, quelques minutes plus tard, en tendant une boîte à Abbie.

– Oui, c'est ça, dit Abbie, en descendant de sa chaise. Beau travail! Je vais faire bouillir de l'eau, et toi, Sarah, va chercher les biberons. Ils sont dans ces armoires-là, en bas.

Sarah s'empresse de faire ce qu'Abbie lui demande.

– Ce sont les biberons qu'on a utilisés pour nourrir Touffi, se rappelle Abbie. Mais j'y pense, on devait avoir une petite conversation au sujet de Touffi, aujourd'hui, avant que les oursons ne retiennent toute notre attention!

Encore une fois, Maxine sent un étrange mélange de papillons dans son estomac et de joie dans son cœur.

– On a bien pris soin d'elle, dit Abbie.

– Et c'est un bon temps de l'année pour la relâcher, ajoute Sarah, qui se relève en refermant les portes de l'armoire, un biberon dans chaque main. C'est presque l'été.

– Oui, dit Abbie. Il faut juste qu'un vétérinaire l'examine. Si elle est en bonne santé, je crois qu'il serait temps qu'on la relâche.

Maxine hoche la tête, mais elle est incapable

de parler. Elle débranche la bouilloire, qui s'est mise à siffler.

– On peut demander à Randall de l'examiner, continue Abbie. S'il veut bien et s'il la trouve en bonne santé, on pourrait la relâcher dans un jour ou deux.

Dans un jour ou deux? Maxine ne peut toujours pas parler. Comment pourrait-elle dire au revoir à Touffi? Elle en prend soin depuis un an. Elle ne peut pas s'en séparer si vite!

Pendant qu'Abbie et Sarah mélangent la préparation, Maxine répond elle-même à sa question : elle n'a pas le choix. Parce qu'elle aime Touffi et que celle-ci ne lui appartient pas. Elle n'appartient à personne. Elle doit retourner dans la nature et vivre en liberté.

Maxine se ressaisit.

– Bonne idée, dit-elle d'une voix ferme. Randall pourrait l'examiner maintenant, ce soir.

Abbie sourit.

– C'est pas toujours facile, hein, les filles, dit-elle en lançant un regard compréhensif à Maxine. Elle jette ensuite un coup d'œil à la préparation.

– Pouvez-vous remplir chacune un biberon, s'il vous plaît? La préparation ne doit pas être trop chaude, juste tiède.

Les filles versent le liquide dans les biberons et posent une tétine sur chacun.

– C'est bien, allons-y, dit Abbie.

* * *

– J'ai de bonnes nouvelles, leur lance Randall d'un ton joyeux, en enlevant ses gants de chirurgien. J'ai examiné les oursons, et ils sont en excellente santé. Un peu affamés, peut-être, mais pas blessés.

– Bravo, souffle Maxine.

– Randall, on a encore quelque chose à te demander, dit Abbie. On aimerait que tu examines Touffi, pendant que tu es ici. On pense qu'elle est en bonne santé, mais on a besoin de l'avis d'un vétérinaire avant de la relâcher. Si tu peux faire ça pour nous, on pourrait lui rendre la liberté très bientôt.

Randall hésite, mais se reprend rapidement.

– Bien sûr que je peux le faire. J'apprécie ta confiance en moi.

– Tu fais bien ton travail, c'est aussi simple que ça, répond Abbie. Et on a besoin de toi! Pendant que tu vas aller voir Touffi, je vais montrer aux filles comment donner le biberon à Tacheté et à Groseille.

Maxine et Sarah ouvrent la bouche, stupéfaites. Elles se regardent, puis regardent Abbie. Elle va vraiment les laisser nourrir les oursons?

Chapitre huit

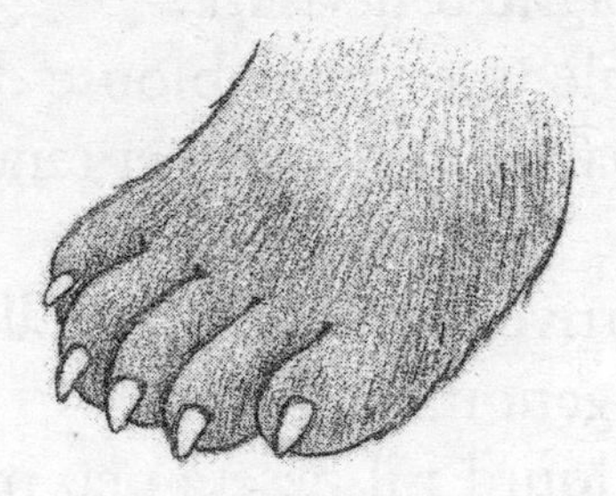

Une goutte de lait

Abbie enfile une paire de gants épais, puis elle ouvre la cage de Tacheté et sort l'ourson.

– Allons, les filles, enfilez des gants et une blouse, et mettons-nous au travail! Qui veut nourrir Tacheté?

Maxine et Sarah n'en reviennent toujours pas de leur chance.

– Moi, répond Maxine avec empressement.

– Moi, je vais nourrir Groseille, ajoute Sarah.

– D'accord. Viens t'asseoir ici, Max. Tu vas t'y prendre à peu près de la même façon qu'avec Touffi, au début. Cet ourson est un peu plus gros, c'est tout. Attention à ses griffes, elles sont très acérées. Tacheté pourrait te faire mal sans le vouloir. Tiens-le solidement, mais sans trop le serrer. Et éloigne ton visage.

Maxine enfile une vieille blouse de travail et des gants épais. Elle s'assoit et tend les bras. Abbie y dépose Tacheté.

Maxine n'arrive pas à y croire. Elle a un ourson sur les genoux!

Tacheté est lourd : il pèse à peu près autant qu'un petit chien. Il commence tout de suite à se tortiller. Se tournant vers Maxine, il cherche à grimper sur son bras. Heureusement que Maxine porte deux épaisseurs de vêtements parce qu'elle sent ses griffes s'enfoncer dans sa peau.

Maxine tient l'ourson plus fermement. Elle lui glisse le biberon de lait tiède dans la bouche. Est-ce que Tacheté va boire? Est-ce qu'il va aimer ça?

L'ourson se met immédiatement à téter. Maxine laisse échapper un soupir de soulagement. Chaque gorgée le nourrit et lui redonne des forces.

Bientôt, Tacheté desserre son étreinte et se détend sur les genoux de Maxine. Il ferme les yeux tout en continuant à boire. Maxine touche doucement la fourrure blanche sur la poitrine de l'ourson et admire son petit nez brun. Elle sent

sa chaleur contre son ventre. Tacheté bouge les oreilles, une ou deux fois. Il boit et boit, et bientôt, le biberon est vide. Tacheté ne bouge plus; il s'est endormi.

C'est seulement à ce moment-là que Maxine jette un coup d'œil à Sarah. Groseille termine son biberon, elle aussi. Après la dernière gorgée, elle pousse un profond soupir, puis fait un gros rot. Les filles pouffent de rire. Un autre soupir, et Groseille s'endort.

Maxine et Sarah restent assises, les oursons endormis sur leurs genoux. Maxine voudrait que cet instant ne finisse jamais.

Tacheté tient toujours le biberon entre ses pattes. Une goutte de lait est restée accrochée à sa lèvre. La jeune fille regarde son ventre plein monter et descendre lentement pendant qu'il dort. Les oursons ne sont plus seuls. Ils ne sont plus effrayés ni affamés. Ils sont en sécurité, entourés de gens qui veulent prendre soin d'eux.

Mais pour combien de temps?

Tacheté est si mignon, du bout de ses oreilles rondes jusqu'au bout de sa petite queue! Il va bien vite devenir un gros ours noir. À condition, bien sûr, que Sarah, Abbie et elle puissent trouver un bon refuge pour les oursons.

Maxine touche Tacheté doucement, du bout de son doigt ganté. Il n'a plus de mère. Il compte sur elles, et Groseille aussi.

Maxine inspire profondément.

– Ne t'en fais pas, promet-elle à l'ourson. On s'occupe de vous. On va vous trouver une nouvelle maison.

Chapitre neuf

Les adieux

On est samedi matin. Maxine et son frère David sont en train de déjeuner, lorsque leur père, vêtu de son pyjama, vient les rejoindre dans la salle à manger.

– Pourquoi vous êtes-vous levés si tôt, les enfants, demande M. Kearney en bâillant.

Il se frotte les yeux et s'approche de la table.

– On doit aller à Animaux Secours tout de suite, papa, répond Maxine, entre deux bouchées de tartine. Tu te souviens de ce que je t'ai dit, hier soir. On va relâcher Touffi, aujourd'hui. Randall l'a examinée, hier, et elle est en bonne santé. On la relâche dans la forêt, tôt ce matin.

– Oh, oui, répond le père de Maxine. Je dois être à moitié endormi pour avoir oublié ça, ajoute-t-il, en s'assoyant à table. C'est très excitant.

– Je me souviens très bien du jour où les enfants et moi, on a trouvé ce petit chaton, dit Mme Oakley, la grand-mère de Maxine, qui vient d'apparaître dans la porte de la cuisine.

– On pensait que c'était un chaton, tu te souviens, Max? dit David, avant de prendre une grande gorgée de jus d'orange.

Mme Kearney arrive de la cuisine en s'essuyant les mains sur un torchon.

– C'est merveilleux que Touffi puisse reprendre sa liberté, dit-elle. Mais ça va te faire de la peine de t'en séparer, ajoute-t-elle en voyant l'expression de Maxine.

– Oui, reconnaît Maxine. Je l'aime beaucoup. Et elle va me manquer.

– Je suis fière de toi, dit doucement sa mère en la serrant dans ses bras. Bonne chance.

– Merci, dit Maxine. Mais ne m'attends pas avant la fin de la journée. Abbie va probablement avoir besoin d'aide pour donner à boire et à manger aux animaux aujourd'hui. Et peut-être qu'on va pouvoir nourrir Tacheté et Groseille encore une fois. Nous avons aussi une recherche à faire, Sarah et moi. On doit essayer de trouver un centre de réhabilitation pour les ours près d'ici. Tacheté et Groseille ont besoin d'un nouveau refuge.

– D'accord, dit Mme Kearney en souriant. Alors, je suppose qu'on va revoir David et grand-maman à l'heure du dîner, et toi, au souper.

Maxine et David sautent dans la voiture de leur grand-mère. Ils vont chercher Sarah et, peu de temps après, la voiture de Mme Oakley remonte l'allée qui mène à Animaux Secours.

Dans le soleil matinal, ils aperçoivent Randall, debout près de la fourgonnette d'Abbie, qui leur envoie la main.

– Randall, tu es là! s'exclame Maxine, ravie, en s'empressant de le rejoindre.

Le jeune homme se met un doigt sur les lèvres pour lui dire de ne pas faire de bruit.

– Je voulais être certain que tout se passerait bien pour Touffi, dit-il en montrant l'arrière de la voiture.

Maxine regarde à l'intérieur. Une grande cage, recouverte d'une toile, est posée sur le plancher. La jeune fille sait que Touffi est à l'intérieur. Elle aimerait soulever la toile et voir le lynx, voir les touffes sur ses oreilles, et ses joues velues et ses yeux orangés. Elle veut admirer son pelage fauve moucheté de noir. Mais elle sait qu'il vaut mieux ne pas déranger Touffi. Ils ont tout fait pour que le lynx demeure sauvage et pour qu'il ne s'habitue pas à la présence des humains. C'est ce qui va lui permettre de survivre dans la nature.

– Bonjour, tout le monde, lance Abbie. Je pense que Touffi est prête. Et nous aussi, ajoute la grande femme en tendant le cou pour regarder chacun d'eux. Alors, en route. Maxine et Sarah, vous montez avec moi. Randall, tu montes avec David et sa grand-mère. Je prends les devants. Vous n'avez qu'à me suivre.

– Comment vont les oursons? demande Maxine à Abbie pendant que celle-ci s'installe dans la voiture. Est-ce qu'ils vont toujours bien?

– Ils vont très bien, répond Abbie, avec un sourire épanoui. On va les nourrir à notre retour.

Ils roulent pendant presque deux heures. Pour Maxine, le temps file comme l'éclair. Elle ne peut pas voir le lynx, mais elle l'entend bouger dans la cage, de temps en temps. Elle est heureuse, rien qu'à le savoir tout près. Durant tout le voyage, elle pense à l'année qu'elle vient de passer avec le lynx, depuis le moment où elle l'a aperçu pour la première fois, jusqu'à aujourd'hui, le jour où Touffi retourne chez elle.

Abbie s'engage sur un chemin rocailleux. La voiture est secouée de tous les côtés. Maxine et Sarah essaient de maintenir la cage en place.

Abbie et Mme Oakley stationnent les voitures au bout d'une allée herbeuse, à l'orée d'un petit bois.

– Où est-ce qu'on est? demande David. Il n'y a pas grand-chose par ici!

– Exactement, dit Abbie, avec un large sourire. C'est le nouveau territoire de Touffi!

Abbie et Randall ouvrent la porte arrière de la fourgonnette et sortent la cage. Puis Abbie ajuste ses lunettes rondes et s'éclaircit la voix.

– Je suis sûre que vous voulez tous dire au revoir à Touffi. Vous pouvez venir chacun votre tour passer un instant avec elle.

Sarah s'approche la première, puis c'est le tour de David, et enfin, de sa grand-mère. Ils s'agenouillent tous pour regarder, une dernière fois, le magnifique lynx, par une ouverture dans la toile. Avec la permission d'Abbie, la grand-mère de Maxine prend une dernière photo, qui ira rejoindre les autres photos témoignant du passage de Touffi à la clinique, depuis son sauvetage jusqu'à sa remise en liberté.

– Max, est-ce que tu peux nous accompagner, Randall et moi, dit doucement Abbie.

Maxine, incapable de parler, hoche la tête rapidement. Abbie et Randall soulèvent la cage et se dirigent vers les arbres, suivis de Maxine.

Lorsqu'ils arrivent à un endroit d'où ils ne peuvent plus voir la route, Abbie indique de la tête une surface plate sous un groupe de pins. Randall et elle déposent la cage à cet endroit. Maxine respire l'air frais et doux. La brise effleure les longues herbes qui entourent la pinède. Une volée d'oiseaux s'élève tout à coup, au loin. Plus bas, le soleil fait miroiter un petit bout de rivière. De l'autre côté de la prairie, Maxine peut voir des rochers et des arbres à perte de vue. Cet endroit semble idéal pour Touffi.

Quand Abbie et Randall retirent la toile, Maxine peut enfin voir Touffi et sent une bouffée de joie l'envahir. Le lynx se lève. Ses oreilles bougeant dans tous les sens, il renifle encore et encore. Voilà son nouveau domaine!

Abbie tend ses gants à Maxine et lui fait signe de les enfiler.

– C'est toi qui as secouru Touffi, un jour. C'est à toi de lui rendre sa liberté maintenant.

Maxine serre la main d'Abbie pour la remercier. C'est tout un honneur qu'elle lui fait.

– Comme tu es belle, dit Maxine à Touffi en s'approchant de la cage.

Elle a à peine soufflé les mots, mais Touffi l'a entendue et lève les yeux vers elle.

Maxine lui rend son regard. Les yeux du lynx restent immobiles pendant un instant. Maxine n'ose pas cligner des yeux. Elle soutient le regard de Touffi. *Je ne t'oublierai jamais,* fait-elle, en pensée cette fois.

Puis Touffi écarquille les yeux et sursaute. Elle s'éloigne de Maxine et se tapit contre la paroi de la cage, effrayée. Ses oreilles sont collées contre sa tête.

Maxine soupire. C'est ainsi que ça doit se passer. Il faut que Touffi ait peur des humains, et même de Maxine. C'est maintenant qu'il faut la relâcher.

– Au revoir, Touffi! Bonne chance!

Maxine se penche et soulève le loquet de la cage. Elle ouvre la porte toute grande et s'empresse de rejoindre Abbie et Randall.

D'abord, Touffi ne bouge pas. Puis, dans un mouvement gracieux, elle s'élance hors de la cage. Ses pattes touchent le sol. Il n'y a pas d'enclos

pour la retenir. Elle est libre.

Donnant un coup de sa courte queue, elle bondit entre les arbres. Elle se fond vite dans les longues herbes de la prairie et disparaît.

Chapitre dix

Un grand bruit!

– Max? fait Sarah en secouant doucement le bras de son amie. On a du travail à faire.

Les deux jeunes filles sont de retour au centre de réhabilitation. Maxine soupire, mais ne bouge toujours pas.

– C'est étrange, dit-elle. D'un côté, je suis heureuse que Touffi soit libre. Mais, d'un autre côté, je suis vraiment triste qu'elle soit partie, ajoute-t-elle en soupirant de nouveau.

– Je me sens un peu comme ça, moi aussi, répond Sarah en hochant la tête. C'est un drôle de mélange... comme si on mélangeait du sucré et du salé.

– C'est exactement ça, fait Maxine en éclatant de rire.

Après avoir ri avec Sarah, Maxine se sent beaucoup mieux. Ça doit être normal de ressentir à la fois un peu de joie et de tristesse. Elle va sans doute s'y habituer.

Les jeunes filles entendent alors Abbie, qui les appellent depuis les marches de la clinique.

– On va nourrir les oursons maintenant, leur lance-t-elle. Ensuite, je vais faire quelques appels pour commander de la nourriture pour les ratons laveurs et pour Blanco.

– D'accord, répondent Maxine et Sarah, on arrive.

Les filles commencent à traverser le stationnement à la hâte, en direction de la clinique. Soudain, Maxine s'arrête.

– Un instant, Sarah, fait-elle, les yeux fixés sur les arbres qui séparent le bureau des enclos.

– Qu'est-ce qui se passe? demande Sarah en tortillant nerveusement le bout d'une de ses tresses.

– Je pense que j'ai vu quelqu'un, là-bas, derrière les arbres.

– C'est probablement Randall, réplique Sarah.

Mais, au même moment, les filles aperçoivent

Randall, qui est en train de ranger la cage de Touffi dans la remise. Il referme la porte, les salue de la main et s'engage dans l'allée.

Si ce n'était pas Randall, qui était-ce alors? Maxine et Sarah se regardent.

– Matthew Perch, répondent-elles en chœur.

Maxine regarde de nouveau en direction des arbres.

– Je ne vois plus personne. Est-ce que tu l'as vu? demande-t-elle à Sarah.

– Non, répond celle-ci en secouant la tête. Peut-être qu'il n'y avait personne, reprend-elle, après avoir réfléchi un moment. Peut-être que tu as juste cru voir quelqu'un.

– Peut-être, répond Maxine.

C'est ce qu'elle aimerait croire, elle aussi. Après tout, qu'est-ce que Matthew Perch serait venu faire là?

– Alors, on oublie ça, reprend Sarah. Viens, on va aller nourrir les oursons, ajoute-t-elle en prenant Maxine par le bras.

– D'accord, fait Maxine, incertaine.

Elle jette un dernier coup d'œil vers les arbres, mais ne voit rien.

* * *

Maxine, Sarah et Abbie entrent dans la pièce où les deux oursons les attendent dans leur cage. Tacheté et Groseille essaient de jouer ensemble. Groseille glisse ses griffes dans une ouverture de la cage. Elle presse sa tête contre le grillage et Tacheté essaie de lui mordiller l'oreille.

– Je crois qu'on va installer les oursons dans l'ancien enclos extérieur de Touffi quand j'aurai fini mes appels, dit Abbie aux jeunes filles. On ne peut pas les laisser enfermés dans ces petites cages beaucoup plus longtemps. Ils peuvent rester dans l'enclos jusqu'à...

Abbie s'interrompt. Elle fronce les sourcils et se frotte le front.

– Jusqu'à ce qu'on leur trouve un nouveau refuge, tout près d'ici, termine Maxine sur un ton enjoué. Sarah et moi, on va commencer notre recherche aussitôt qu'on aura fini de les nourrir.

– Très bien, répond Abbie. C'est merveilleux de savoir que je peux toujours compter sur vous!

Maxine et Sarah s'installent confortablement sur le plancher. Elles tiennent chacune un biberon rempli de préparation lactée tiède. Abbie sort Tacheté de sa cage.

– Voulez-vous changer d'ourson, aujourd'hui? Sarah, veux-tu nourrir Tacheté?

– Eh bien, répond Sarah en jetant un coup d'oeil à son amie, je préférerais nourrir encore Groseille, si Max est d'accord.

Maxine sourit. Pas surprenant que Sarah soit sa meilleure amie.

– Bien sûr que je suis d'accord. J'espérais pouvoir nourrir Tacheté encore une fois.

Les oursons finissent leur biberon beaucoup trop rapidement. Et comme la première fois, ils s'endorment, une fois leur ventre plein. À regret, Maxine remet Tacheté endormi dans les bras d'Abbie. Bientôt, les oursons sont de retour dans leurs cages.

Pendant que les filles rangent leurs vêtements de travail, elles entendent Abbie fermer la porte de la clinique. Puis, au moment où elles pénètrent dans la cuisinette, la porte claque de nouveau.

– Elle a dû mal se fermer la première fois, suppose Maxine.

Pendant qu'elle lave les biberons et que Sarah range un peu, Maxine se demande si elle aura une autre chance de nourrir Tacheté aujourd'hui. Elle aime le tenir dans ses bras et le voir de si près.

Soudain, les jeunes filles entendent un grand

bruit qui semble provenir de la clinique. Elles s'immobilisent et se regardent.

Qu'est-ce qui a pu causer tout ce vacarme?

Chapitre onze

Un visiteur inattendu

Maxine court jusqu'à la porte et jette un coup d'œil dans le corridor. Elle retient son souffle.

C'est Matthew Perch. Il tient la cage de Groseille dans une main. La cage de Tacheté est à ses pieds, et il a encore la poignée brisée dans l'autre main.

– Qu'est-ce que tu fais? s'écrie Maxine. Est-ce que Tacheté est blessé?

Elle court le long du corridor et s'agenouille près de la cage de l'ourson. Il est réveillé et la regarde, tremblant. Mais il n'a pas l'air d'être blessé.

– Tu aurais pu lui faire mal! hurle Maxine,

les mains sur les hanches. Ou peut-être que c'était ça que tu voulais! ajoute-t-elle, des éclairs dans les yeux.

– Non, non, réplique Matthew, le visage rouge, l'air énervé.

– Alors, qu'est-ce que tu essayais de faire? dit Sarah, de la porte. Où est-ce que tu voulais aller avec ces oursons?

– Hé! réplique le garçon qui tient toujours la cage de Groseille. Les oursons, ça doit vivre dans la forêt. C'est vous qui êtes allées les chercher, pas moi. J'essaie juste de les ramener chez eux, ajoute-t-il en plissant les yeux.

– Tu veux ramener les oursons dans la forêt? demande Sarah, incrédule.

– Oui, c'est ce que je veux, répond Matthew en hochant la tête. J'essaie de les protéger.

Maxine et Sarah le regardent.

– C'est mon père qui a tué leur mère, continue-t-il en fixant le plancher. Je le regrette beaucoup. Mais ce n'est pas une raison pour les amener ici, les mettre en cage et les garder enfermés pour toujours. Ils doivent retourner dans la forêt.

Matthew jette la poignée brisée par terre et se penche pour soulever la cage de Tacheté.

– Attends, attends, dit Maxine en levant la main. Tu ne comprends pas. On sait que les oursons doivent vivre dans la forêt. On veut qu'ils y retournent, nous aussi. Mais ces oursons ne peuvent pas survivre tout seuls.

Matthew essaie toujours de soulever la cage, mais il écoute ce que lui dit Maxine.

– Pourquoi pas? demande-t-il froidement.

– Les oursons ont besoin du lait de leur mère pour survivre. Ils doivent apprendre comment se nourrir et quoi manger. Ils vont mourir si on les laisse seuls dans la forêt. Tout ce qu'on voulait, c'est de les capturer, de les nourrir, puis de trouver une façon de les ramener dans les bois. C'est ce que tu veux, toi aussi, non? ajoute Maxine en regardant Matthew dans les yeux.

– Eh bien, oui, balbutie Matthew en se relevant. Je voulais juste...

– Malheureusement, on ne pourra pas les garder à Animaux Secours très longtemps. Abbie veut qu'on essaie de trouver un refuge pour les ours, près d'ici. Sarah et moi, on allait justement faire ça. Tu peux venir avec nous, ajoute Maxine après une pause. Si tu veux vraiment aider les oursons, bien sûr.

Maxine retient son souffle. Elle ne peut pas

croire qu'elle a invité Matthew à les aider et qu'elle commence à penser qu'il n'est peut-être pas un si mauvais garçon, après tout. Matthew se penche et ramasse la cage de Tacheté. Maxine l'attend de pied ferme. Pas question qu'il sorte d'ici avec les oursons. Mais au lieu d'essayer de passer, Matthew se retourne et dépose délicatement les cages sur le plancher de la salle d'examen.

– D'accord, fait-il, je vais vous aider.

Chapitre douze

Les ours sont des animaux sauvages

Abbie est toujours au téléphone quand Maxine, Sarah et Matthew entrent dans le bureau. Elle lève d'abord les sourcils en voyant le garçon, puis lui fait un rapide sourire de bienvenue.

Sarah et Maxine vont sur Internet.

– Regardez, s'écrie Maxine. Ces oursons sont presque de la même taille que Groseille et Tacheté! Et la légende dit : *Un lien très fort unit les oursons d'une même portée. Ils doivent rester ensemble dans la nature pour se protéger l'un et l'autre, surtout en l'absence de leur mère. Les jeux qu'ils partagent fortifient le lien qui existe entre eux.*

– Ça aussi c'est intéressant, dit Sarah. *Quand les ours quittent leur tanière au printemps, la nourriture est rare. Puis les plantes commencent à pousser. Les ours mangent les nouvelles feuilles et l'herbe. Les oursons commencent à goûter à ce que mange leur mère, mais ils ont encore besoin de son lait.*

– J'aimerais lire sur les ours toute la journée, mais on devrait vraiment chercher les centres de réhabilitation, dit Maxine.

– Essaie « réhabilitation ours noir » fait Matthew.

Maxine regarde le jeune garçon, surprise de l'entendre parler.

Sarah tape les mots. Tout de suite, plusieurs choix apparaissent. Parmi ceux-ci, un centre canadien qui s'appelle *Les ours sont des animaux sauvages.*

– Oh, regardez! s'exclame Maxine. Essaie celui-là, Sarah.

La photo couleur de trois oursons dans un vaste enclos envahit l'écran. Un des oursons est assis sur une branche, dans un grand pin. Un autre s'amuse dans un étang naturel. Le troisième est étendu sur une roche plate. On aperçoit une structure à grimper en rondins, et des billots éparpillés sur le sol.

– La directrice du centre s'appelle Madeleine Brant, dit Maxine. Elle a écrit : *J'accueille des oursons orphelins. Mais je ne dirige pas un zoo. J'élève les oursons dans le but de les retourner dans la nature. Communiquez avec moi si vous voulez des renseignements ou si vous avez besoin d'aide.* Elle donne son adresse électronique et son numéro de téléphone.

– Et regardez, dit Sarah. Voilà l'adresse. Le centre est près de la ville de Bridgehurst.

– Bridgehurst n'est pas très loin d'ici, leur dit Matthew. C'est à environ deux heures de route.

– C'est peut-être exactement ce qu'il faut pour Tacheté et Groseille! dit Maxine en tapant des mains.

– Qu'est-ce que vous avez trouvé? demande Abbie en déposant le combiné.

–Viens voir! s'écrie Sarah. On pense avoir trouvé un centre de réhabilitation pour Tacheté et Groseille.

Abbie se lève et regarde Matthew à travers ses lunettes.

– Et toi, qui es-tu? demande-t-elle gentiment. Je pense que je t'ai déjà vu quelque part.

– Matthew Perch, madame, répond le garçon.

Puis il regarde Maxine et Sarah. Elles pourraient raconter à Abbie qu'il a essayé d'enlever Tacheté et Groseille. Mais les filles ne disent rien. Matthew a l'air soulagé.

– Enchantée de te rencontrer, dit Abbie. Je suis heureuse que tu sois venu nous aider. Alors, qu'est-ce que vous avez trouvé? fait-elle en regardant la page d'accueil du centre. Eh bien, ça semble l'endroit idéal pour nos deux oursons. Je vais appeler tout de suite pour demander d'autres renseignements. Beau travail, les filles… et le garçon, ajoute-elle en souriant.

Dix minutes plus tard, Abbie raccroche.

– Madeleine est enchantée à l'idée d'accueillir deux nouveaux oursons. Elle aimerait qu'on les amène le plus vite possible. C'est samedi, aujourd'hui, continue Abbie, après un moment de réflexion. Ça ne peut pas attendre à la fin de semaine prochaine. Mais vous avez de l'école pendant la semaine…

Maxine retient son souffle. Elle veut voir le centre de réhabilitation pour les ours et être là quand Tacheté et Groseille vont découvrir leur nouvelle demeure.

– Eh bien, il n'y a qu'une chose à faire, continue Abbie. Il faut y aller demain.

– Merci, Abbie! s'écrie Maxine en serrant Sarah dans ses bras. On va demander la permission à nos parents, mais je suis sûre qu'ils vont dire oui.

Soudain, Maxine aperçoit Matthew, seul dans son coin, les mains enfoncées dans les poches.

– Est-ce que Matthew peut venir aussi? fait-elle.

– Mais bien sûr, répond Abbie, surprise. Je supposais qu'on y allait tous. Si tu es d'accord, bien entendu, Matthew.

Le jeune garçon ne la regarde pas, mais il fait oui de la tête.

Maxine aime Matthew beaucoup plus qu'avant. Mais... elle ne sait pas encore si elle peut lui faire confiance. Encore ce mélange de sucré et de salé. C'était plus facile avant, quand elle n'avait pas à se demander si elle l'aimait ou non.

Chapitre treize

La femme aux ours

Le lendemain matin, il fait un temps superbe, et le soleil brille. Maxine attend près de la porte de chez elle lorsque la fourgonnette d'Abbie s'engage dans l'allée.

– Bonjour, Abbie, fait Maxine en grimpant à bord.

Elle jette un coup d'œil par-dessus le siège arrière. Les deux oursons sont roulés en boule dans leur cage.

– Bonjour, Tacheté et Groseille, leur lance-t-elle.

Abbie et elle passent ensuite prendre Sarah, puis Matthew. Et c'est le départ pour le refuge.

Maxine baisse la glace de la voiture et laisse la brise chaude lui caresser le visage. À tout moment, elle se retourne pour surveiller les oursons. Abbie ne les a pas mis dans l'enclos extérieur, hier, et ce matin, ils ne peuvent pas rester en place. Ils se lèvent et s'étirent constamment, et essaient de jouer ensemble, par les ouvertures de la cage.

– Ne vous en faites pas, leur mumure Maxine. On va bientôt vous sortir de là et vous allez pouvoir jouer ensemble pour vrai!

Quand ils arrivent à Bridgehurst, Sarah commence à donner les indications.

– Ça y est! Je vois l'écriteau! annonce finalement Maxine, vers 13 h.

Abbie s'engage dans une longue allée bordée d'arbres. Elle stationne la voiture près d'une petite maison de ferme, avec une grande véranda. Maxine, Sarah et Matthew descendent de la voiture et s'étirent. Un colley vient les rejoindre en courant. La porte grillagée s'ouvre et une jeune femme sort de la maison. Elle porte un short brun, une chemise kaki, des bas roulés et des bottes de marche. Ses longs cheveux sont retenus de chaque côté par une pince.

– Je suis Madeleine Brant, fait-elle en leur

tendant la main. Par ici, on m'appelle « la femme aux ours ». Heureuse de faire votre connaissance.

En un instant, les cages sont sorties de la voiture, et Madeleine est en admiration devant Tacheté et Groseille.

– Ils ont l'air en bonne santé, dit-elle avec un sourire ravi. Leur mère prenait bien soin d'eux. Et il est évident que vous les avez bien nourris, après ces jours qu'ils ont passés tout seuls.

Maxine brûle de poser une question à la femme aux ours.

– On s'est occupées d'un lynx qui s'appelait Touffi, dit-elle. Mais on portait un costume spécial pour que Touffi ne sache pas que c'étaient des humains qui s'occupaient d'elle. On masquait notre odeur et on ne parlait jamais quand on était près d'elle. Est-ce que vous faites ça, ici, avec les ours?

Madeleine est très impressionnée.

– Quelle idée intéressante! Non, je ne porte pas de costume. Je ne masque pas mon odeur et je parle parfois aux ours. Les gens qui travaillent avec les animaux sauvages, ajoute-t-elle après une pause, ont différentes façons de s'occuper d'eux et d'essayer de les retourner dans leur habitat naturel. Mais j'ai appris une chose en travaillant ici, au centre, fait-elle en regardant Maxine d'un air sérieux. Les ours sont très intelligents! Je crois qu'ils peuvent différencier les gens. Moi, je les nourris et je leur apprends certaines choses. Ils me reconnaissent et me font confiance. Mais ils sont très nerveux en présence d'autres personnes.

Maxine sourit. Elle sait que Tacheté et Groseille seront entre bonnes mains.

– Et si on leur faisait découvrir leur nouvelle demeure? fait Madeleine avec un grand sourire.

Ils la suivent derrière la maison et le long d'un sentier qui traverse le bois. Tout est calme et serein. Les oiseaux voltigent dans les arbres et le soleil fait des taches sur le sentier.

Ils arrivent dans une petite clairière, et là, dans un enclos, ils aperçoivent les trois ours qu'ils ont vus sur le site Web. Deux d'entre eux se chamaillent amicalement près de l'étang. Le troisième est étendu au sommet de la structure à grimper.

– Ces deux-là, ce sont Bruno et Charbon, fait Madeleine en montrant les oursons qui se chamaillent. Et celui-là, c'est Patapouf. Ils étaient minuscules quand ils sont arrivés, l'année dernière. Patapouf a été enlevé de sa tanière par un randonneur, quand il avait à peine deux mois. Bruno s'est fait prendre dans un piège posé illégalement, et Charbon est devenu orphelin quand sa mère s'est fait frapper par une voiture. J'ai remplacé leur mère. Je les ai tous nourris au biberon. J'en ai pris soin et je leur ai appris ce qu'une maman ourse apprend à ses petits. Et eux m'ont appris un tas de choses aussi!

Matthew est debout près d'Abbie. Maxine remarque qu'il n'a pas son air renfrogné. En fait, la lueur dans ses yeux semble provenir de l'intérieur. C'est l'air qu'il avait la veille quand il est sorti de la forêt. Soudain, Maxine comprend. Il a dû partir à la recherche des oursons après que leur mère a été tuée. Quand il les a vus sur la branche, il a cru qu'ils étaient en sécurité. Voilà pourquoi il avait l'air si heureux.

– Quand les retournez-vous dans la nature? demande-t-il.

– Bonne question, répond Madeleine. Certains oursons, comme ces trois-là, sont encore petits à l'automne. Ils ne sont pas prêts à être relâchés. Ils passent l'hiver dans la tanière que je leur ai aménagée, à l'intérieur de l'enclos. Venez voir.

Ils la suivent et font le tour de l'enclos. À l'arrière, elle leur montre du doigt une grande boîte de bois avec une ouverture carrée, installée parmi quelques arbres bas et des arbustes.

– Quand l'hiver est vraiment arrivé, les ours s'installent à l'intérieur et n'en ressortent qu'au printemps!

Le groupe revient à l'avant de l'enclos, et Madeleine poursuit :

– Si les oursons sont en bonne santé et ont presque atteint leur taille adulte à l'automne, comme c'est le cas pour ces trois-là, je les amène dans les bois à la fin de l'année. Je leur mets un collier émetteur pour que les scientifiques de la région puissent les suivre à la trace et en apprendre plus sur les ours noirs. Ensuite, je leur injecte un tranquillisant et je les laisse dans une tanière naturelle. Ou alors, je les laisse dans une des tanières artificielles que j'ai préparées durant l'été. Quand ils se réveillent, ils sortent parfois pour explorer les environs. Puis ils retournent dans la tanière pour passer l'hiver ou trouvent une autre tanière pour faire leur sieste hivernale.

– Et Tacheté et Groseille? demande Matthew.

– Je ne sais pas encore, lui répond Madeleine. Je vais attendre de voir comment ils vont. Ils passeront peut-être un hiver ici, avec moi, ou peut-être que je pourrai les relâcher avec les trois autres cette année. Je vais faire de mon mieux pour prendre la bonne décision, promet-elle.

Puis elle serre les mains.

– Et maintenant, qu'en pensez-vous? Est-ce qu'on relâche les oursons dans leur nouvelle demeure? Voulez-vous qu'ils vivent ici avec moi jusqu'à ce qu'on puisse les relâcher dans la nature? demande-t-elle en regardant ses visiteurs d'un air sérieux.

Personne n'a besoin d'y réfléchir.

– Oui, crient-ils tous en chœur.

– Qui va porter Tacheté jusqu'à l'enclos? demande Madeleine en ramassant la cage de Groseille.

– Pas moi, fait Sarah en secouant la tête. Je préfère suivre ça d'ici.

Maxine regarde Tacheté, son mignon petit nez noir et la tache blanche sur sa poitrine. Ensuite, elle regarde Matthew qui fixe le sol.

– Pourquoi pas toi, Matthew? suggère-t-elle.

Matthew relève brusquement la tête et la regarde, tout étonné. Puis il se tourne vers Madeleine.

– Oui, j'aimerais ça, lance-t-il en regardant Maxine de nouveau, avec un grand sourire.

Le tout ne prend qu'un instant. Madeleine ouvre d'abord la cage de Groseille. Comme l'ourson ne bronche pas, Madeleine penche légèrement la cage. Groseille essaie de garder l'équilibre, mais elle finit par glisser de façon très disgracieuse, et atterrit sur son derrière.

Elle laisse échapper un *baa-oua!* étonné, puis s'enfuit à toute vitesse. Elle escalade en un clin d'œil le tronc de l'arbre le plus proche et s'arrête sur la première branche.

Puis c'est au tour de Matthew d'ouvrir la cage de Tacheté. L'ourson, qui vient de voir sa sœur grimper à l'arbre, n'hésite pas un seul instant. Il se précipite hors de la cage et ne s'arrête que lorsqu'il est assis à côté de Groseille, sur la même branche.

– C'est comme ça qu'ils étaient quand on les a trouvés la première fois, fait Maxine en riant, deux mignons oursons perchés dans un arbre.

– Mais maintenant, ils sont en sécurité, ajoute Sarah, puisqu'ils sont ici!

– Et ils peuvent rester là-haut aussi longtemps qu'ils le désirent, fait Madeleine en souriant. Mais je vous parie qu'ils vont redescendre en vitesse quand ils vont me voir arriver avec des biberons.

Maxine sourit.

– Est-ce qu'on peut venir leur rendre visite de temps en temps? demande-t-elle. Juste pour les observer d'ici, je veux dire?

– Mais certainement, répond Madeleine.

Sur le chemin du retour, Maxine est songeuse. Elle observe Matthew. Elle éprouve toujours un mélange de sentiments à son égard. Mais peut-être qu'il pourrait devenir son ami, après tout.

Ensuite, elle jette un coup d'œil aux deux cages vides, à l'arrière de la fourgonnette. À Animaux Secours, il y a une autre cage vide. Dans l'espace de quelques jours, les oursons ont trouvé un nouveau chez-eux, et Touffi aussi.

Ça fait beaucoup de bonjours et beaucoup d'adieux.

Un mélange de joie et de tristesse.

Maxine s'appuie sur le dossier du siège et ferme les yeux.

Joie et tristesse. Quand on prépare des animaux sauvages à retourner dans la nature, on doit toujours éprouver un peu de ces deux sentiments.

Maxine sourit. Elle va peut-être réussir à s'y faire.

Fiche d'information sur l'ours noir

🐾 On trouve des ours noirs dans toutes les provinces et les territoires du Canada (sauf à l'Île-du-Prince-Édouard), dans la plupart des États américains et dans le nord du Mexique. Les ours noirs ne sont pas toujours noirs. Ils peuvent être brun pâle, moyen ou foncé, blond ou cannelle. L'ours kermode ou « ours esprit » est un ours noir à la fourrure blanche. On le trouve au Yukon et dans les forêts pluviales de la Colombie-Britannique. Dans le sud-est de l'Alaska, l'ours noir est parfois bleu pâle! On l'appelle « l'ours des glaciers ».

🐾 L'ours noir est omnivore. Il mange des fourmis et d'autres insectes, des fruits, des noix, des glands, de l'herbe, des racines et d'autres types de végétation. Il mange parfois des faons et des jeunes orignaux. L'ours noir qui vit sur les côtes se nourrit de saumon.

Les ours noirs sont très intelligents et ont une excellente mémoire. Leur ouïe et leur odorat sont très développés.

L'ours noir grogne quand il est détendu. Quand il est effrayé, il souffle très fort. Il peut aussi grommeler, rugir, gémir ou glapir. Il arrive que les oursons geignent.

L'ours noir peut se tenir debout sur ses pattes de derrière pendant de longs moments. Il peut aussi s'asseoir en relevant le haut de son corps.

La femelle est une ourse, et les petits sont des oursons. Les ours adultes vivent seuls. Il n'y a que les mères et leurs petits qui passent quelque temps ensemble.

En hiver, l'ours noir dort pendant de longues périodes. Cela lui permet de survivre quand la nourriture est rare. Quand l'ours dort, il ne mange pas, ne boit pas et n'urine pas. Sa température baisse un peu et sa respiration ralentit.

C'est durant l'hibernation que les femelles mettent bas. Leur portée compte de un à cinq oursons. (La moyenne est de deux oursons par portée.) Les oursons naissent en janvier ou au début de février. Ils pèsent entre 225 et 450 grammes à la naissance. Ils sont aveugles, n'ont pas de dents et sont recouverts d'un fin duvet. L'ourse les lave avec sa langue et les garde au chaud. Elle les place en position pour téter et ensuite… elle se rendort!

Les ours quittent leur tanière au printemps. Les oursons sont sevrés vers l'âge de six mois, mais, en général, ils restent avec leur mère pendant un an et demi.

L'ours noir est un bon grimpeur et se réfugie dans les arbres en cas de danger. Parfois, il dort dans le creux d'un arbre.